그 림 · 일 기

たび(tabi)_Mixed media on canvas_3S(22.0cmx22.0cm)_2023

그림 일기

발   행 | 2024년 7월 9일
저   자 | 송지율
펴낸이 | 한건희
펴낸곳 | 주식회사 부크크
출판사등록 | 2014.07.15.(제2014-16호)
주   소 | 서울특별시 금천구 가산디지털1로 119 SK트윈타워 A동 305호
전   화 | 1670-8316
이메일 | info@bookk.co.kr

ISBN | 979-11-410-9435-5

그 림 · 일 기

송지율 지음

CONTENT

'꿈'에 닿기를 바래_Mixed media on canvas_20F(72.2x60.6cm)_2022

제1화 그림을 만난 날

"라 떼는~" 개천에서 용이 나는 방법이라면 그저 공부하는 길 밖에 없었다. 그림을 좋아했지만, '어쩔 수 없이' 교편을 잡은 꼰대가 되어 있다.

첫 월급을 타서 빨간 내복을 사는 대신 그림을 배우러 갔다. 그림 그리는 것이 얼마나 좋던지, 생각 없이 마구 그리다 보니 1주일 사이에도 꽤나 많은 그림이 쌓였다. 보통의 수강생이 한 달쯤 걸려 한 점을 만드는 동안, 대여섯 점의 작품을 만들었다. 뭘 알고 그렸다기보다 그냥 좋아하니까 마구마구 그려 나간 것이었다.

그러다 보니 오랜 경력자 선배님들이 얼마나 눈총을 주시던지.

 그림을 그린지 십 년이 되었다. 초반에는 아름다운 것들을 보고 그리는 것이 좋았다, 질료와 기법과 재료를 배워 내가 좋아하는 것들을 그렸다. 그 자체로도 기쁨이었다. 이제는 나의 생각을 담는 것에 중점을 두게 된다. 내 삶의 여정을 '꽃'에 비유해서 유년기부터 지금까지의 감정들을 담아 나가고 있다.

   시골에서 나와 홀로 계속 유학 생활을 해야 했던 유년기, 그 어딘가에 소속되고자 죽도록 공부했던 청년기, 소속된 집단에서 또 오르고자 치열했던 장년기, 그리고 어느덧 평온을 되찾은 중년기까지. 내가 거쳐온 삶이 캔버스에 담겨 있다.
   긴 여정을 지나오다 보니 누구든 꽃이다. 세상에 하나밖에 없는 가장 아름다운 꽃. 남을 닮으려고만 말고 부디 그 자체로 아름답게 피어나기를 바라며 나와 타인을 향한 축복을 담고자 했다. 나의 의도가 공감받을 수 있다면 그것만으로도 행복할 것 같다.

Blooming_Oil on canvas_20S(60.6x60.6cm)_2022

어디서 읽었을까. 예술은 아픔을 먹고 크는 꽃이라더라. 나의 작품의 초기작은 어쩌면 아픔을 승화하고자 하는 의지였을지도 모른다.

어느새 모든 것들이 받아들여지는 나이가 되어가고 있고 스스로를 위로할 수 있는 입장이 되어 간다. 어디 한 곳 맘 아픈 곳 없는 사람이 있을까. 들여다보면 모두가 상처투성이다. 다만 각자의 상처를 어떤 방법으로 치유하고 견뎌내는지가 다를 뿐이다.

나의 경우, 힘들었던 순간마다 온전히 그림에 집중했다. 캔버스 위에 나를 내놓는 행위가 후련하면서 좋았다.

누군가 삶의 기로에서 방황하고 있다면 적극 그림을 권유해 본다. 내가 모르는 나를 보기도 하고 내가 아는 나를 더 잘 알게될 수도 있다.

남은 동안 남보다 자신에게 더 집중하는 삶을 살아가고 싶다.

かがやいて _ Oil on canvas_10M(53.3x33.4cm)_2023

혼자서 여행하는 것을 좋아한다. 여럿이면 더욱 좋겠지만 이래저래 남의 사정을 묻는 것이 익숙하지 않다. 혼자서 여행 하다 보면 생각이든 장소든 구애받는 일 없이 내 취향에 따라 타지의 이색적인 느낌을 향유할 수 있어 좋다. 하루를 온전히 내 맘대로 운용하고 있다는 자유로움이 나를 자꾸 여행에 나서게 한다.

그림도 여행처럼 나를 자유롭게 한다. 여러 시도를 하는 동안 틀에 갇힌 사고에서 잠시나마 벗어나게 된다. 그림을 그릴 때면 세상일을 잊게 되는데, 특혜를 누린다는 기분마저 든다.

겨우 반백이 지난 나이지만, 내게 밀어닥친 삶의 파도는 가히 쓰나미 격이었다. 살아내느라 치열했던 50여 년이 지나고 이제 조금 주위가 보인다.

프랑스를 여행하던 어느날, 고흐가 1년 가까이 머물렀던 생레미 정신요양병원 앞에서 그림을 그리고 있는 노년의 화가를 보았다. 그도 혼자만의 세계를 여행 중이었으리라.

그의 모습을 보며 나도 이대로 마지막까지 그림을 그리며 평온했으면, 하는 생각이 들었다.

지난날의 나와 같은 바다를 건너고 있는 사람이 있다
면 좀 더 힘내보라고 말해주고 싶다.

파도가 지나고 나니 햇빛도 있고 은결도 있다.

'황혼'에 만난 시간 _ Oil on canvas_10P(53.3x40.9cm)_2021

나의 작업은 주로 오후 5시 이후부터 시작된다. 생계를 위한 나의 본업을 마치고 나서, 그림을 만날 수 있다.

 현관문을 열자마자 가장 먼저 하는 일은 어제 그리다 만 그림을 바라보는 일이다. 빈속을 달래고자 무언가를 우걱우걱 먹어가며 한참을 바라본다. 밥을 먹다가도 냅다 캔버스 앞으로 쫓아간다. 이것저것 생각을 옮기다 보면 온몸이 물감투성이다. 시간의 감각이 사라지고 밥은 언제 먹었는지도 모를 만큼 허기가 진다. 만족스러운 결과 여부를 떠나, 내가 그림에 빠져 있다는 사실만 존재한다. 잠에서 깨어나는 순간에도 그림이 가장 궁금하다. 묘한 밀당이 수 차례 반복되고 나면 어느새 나와 케미가 맞는 또 하나의 내가 거기 서 있다.

작약_Oil on canvas_20F(72.2x60.6cm)_2020

그림을 그리다 보니 욕심이 나는 경우가 있다. 어디엔가 소속이 되어야 할 것도 같고, 누군가가 알아줘야 할 것 같고. 막상 지금의 나처럼 막연하게 그리는 게 누군가에게는 한량처럼 보이는 것도 같다. 막대한 자산가가 아니다보니 재료비에 숨이 막히기도 하고, 쌓여가는 캔버스를 바라볼 때면 이렇게 소비만 하고 있어도 괜찮은가 싶어 아득해지기도 한다.

그림을 개인적인 기쁨으로 그리는 것에서 나아가, 이제 컬렉터를 만나고 싶다는 생각이 든다. 누군가가 내 그림의 가치를 인정해주고, 그의 공간에서 함께 향유해준다면 얼마나 행복할까. 그런 생각으로 그리다 보니 오롯이 나만 생각하는 것이 아니라 나의 가치와 더불어 타인에게도 공감이 되었으면 싶은 마음이 들어, 조금 더 고민하며 그림을 그리게 된다.

얼마 전 전시에서, 누군가 나의 그림을 보며 서 있는 것을 보았다. 작가로서 내가 잘 가고 있는가의 고민이 깊어지던 그 날, 그 장면은 위로와 기쁨이 되었다.

우리는 II _Glitter, Oil on canvas_12P(60.6xcm45.5)_2020

유난히 배우는 것에 집착했다.

내 능력에 비해 부모의 기대가 컸던 탓일까. 목표는 항상 내 수준보다 높았던 것으로 기억된다.

도시로 기어 나올수록 자존감이 바닥을 치고 한없이 작아졌다. 자꾸 주눅이 들다 보니 정말 되는 일이 없었다. 무엇을 해야 할지 막막하고 공부가 최선인 그 시대에는 되든 안 되든 공부밖에 할 수 없는 현실을 받아들여야만 했다.

그러나 공부에서 좀처럼 성과가 나질 않으니 자꾸만 다른 곳으로 눈이 갔다. 각종 예체능 분야부터 잡기에 가까운 다양한 취미들을 접하고 자격증을 따기 시작했다. 딱히 어떤 이유가 있다기보다는 그냥 작은 목표를 이루었다는 성취감이 있었다. 그 작은 자격증 쪼가리 하나가 나에게 용기를 주었다. 나도 할 수 있구나.

아주 뒤늦게 공부가 재미있어졌고 석사까지 해내다니 늦터졌지만 우리 아버지는 매우 흡족해 하셨다. 내가 자식으로서 부모에게 가장 잘한 일 같기도 하다. 그토록 원하셨으니 말이다. 이런 연유에서 나는 진즉부터 배우는 것이 습관화되어 있는듯하다.

내가 그림을 배우는 목적은 나를 표현하기 위함인데 요즘 들어 오히려 나의 능력이 거세되는 것 같다.

예술의 세계에 사실은 답이 있는 건 아닐까, 그 답을
내가 못찾고 주위만 맴돌고 있는 건 아닐까 싶은 마음
에 묘한 중압감과 길들여지는 것 같은 느낌이 답답하
게 느껴질 때가 있다.

 이 간극을 어떻게 채워나갈지를 고민하다, 이런 변화
를 그저 묵묵히 캔버스에 다시 조금씩 옮겨 본다.

Cheer up _ Oil oncanvas_20F(116.8x91cm)_2023

<노란 바람>

 힘들고 어려울 때는 아무것도 보이지 않고 아무 생각
도 나지 않는다. 그저 당장에 처한 일을 쳐내가기도 벅
차다.

 사연 없는 사람이 어디 있을까.

 어쩌면 나는 여태 일과 그림을 병행하며 *버티어내*고
있었는지도 모르겠다. 다행스럽게도 그림이 내게 큰 위
로가 되었고 의미를 주었다. 삶에 치여 몇 번이나 나가
떨어질 뻔했지만 용케 나를 다잡아 주었다. 그림을 그
리면 온전히 나만의 세상에 몰입하게 된다. 잡념도 사
라지고 에너지를 얻는다.
 《빅터 프랭클의 죽음의 수용소에서》도 "인간은 어떤
삶의 조건, 상황 속에서도 어떻게 살 것인지 선택할 수
있다"라고 하지 않았는가.
 지나온 시간들을 되돌아보면 그런 나에게 용기와 집념
이 있어주었음에 감사한다.
 혹여 지금 이 순간이 최악의 상황일지라도 "선택"할
수 있는 마지막 희망을 놓지 않기를 간절히 바란다. 그

런 바람을 담아 <노란 바람>이라는 작품을 완성했다.
해바라기가 주는 열정과 긍정의 에너지, 선한 영향력이
널리 퍼지기를 고대하며.

노란 바람 _ Oil on canvas_20S(72.7x72.7cm)_2020

제2화 그림의 소재

  '꽃'은 각자 고유의 '꽃말'을 가진다. 갑자기 '꽃말'은 어디서 유래했는지 호기심이 발동했다.

  원광대학교 원예산업학과 겸임교수 (허북구)에 의하면, 가장 유력한 설로 아라비아 세렘(selam)이라는 설에서 유래했다고 한다.

  내가 그린 꽃양귀비는 마약의 성분으로 오해받는 양귀비와는 다른 빨간색 꽃양귀비로 "위로, 위안, 몽상"이라는 꽃말을 가진다. 그 의미를 담아 다소 칙칙한 삶에 포인트를 두고 화려하게 캔버스에서 피어나길 바라는 마음을 담았다. 화려함 속에서도 특히 암·수술에 생동감을 주고자 했다. 종자식물에 있어서 이 부분은 강한 생명력을 상징한다. 매일 반복되는 지친 일상에서 한 번쯤은 화려하게 새롭게 피어나고 싶은 욕망. 그 욕망을 그리며 다시 스스로를 위로하고 싶었다, 그때의 나는.

이 작품의 제목은 <Amor Fati>다.
"자신의 운명을 사랑하라"는 의미로, 인간이 가져야 할 삶의 태도를 설명하는 프리드리히 니체의 용어이다.

부디 이 그림을 마주하는 모두가 자신의 운명을 사랑하며 화려하게 피어나기를 소망해본다.

Amor Fati_Oil on canvas_50P(116.8x91cm)_2020

이 꽃은 샤프란이다.

아름다운 꽃이 거미줄에 잡혀 있는 모습인데, 꽃의 아름다움 이면에 무언가 비밀스러운 모습들이 마치 인간이 가진 욕망들이 현란하게 문양으로 나타나고 스스로를 옥죄는 것처럼 보였다. 각자가 욕망의 무늬를 뽐내보지만 결국은 그 무게를 견디지 못하면 거미줄에 갇혀 상위 포식자에게 먹이가 되고 만다.

어쩌면 삶의 윤택함을 결정하는 건 자기자신인지 모른다. 욕망의 무게와 균형은 오롯이 본인이 조율하는 것이니. 나이가 들어가면서 점점 균형의 추가 수평을 맞춰 간다. 무엇을 어디에 둘지 늘 마음 한 켠에 아쉬움이 남아 있는데 그런 아쉬움이며 욕망까지도 모두 그림에 담았다.

비우고 나니 후련하기도 하고 또 새로운 욕망들이 올라오기도 한다.

Poison_Oil on canvas_50P(116.8x91cm)_2019

여름 향기

 핑크 수국 꽃말은 '진정한 사랑'이라고 한다. 파란 수
국 꽃말은 '상대방에 대한 감사와 이해', 보라색은 '깊
은 이해에 대한 욕망, 자부심, 감사', 마지막으로 하얀
수국 꽃말은 '오만, 허영' 또는 '사랑'이다.

 꽃이라면 호박꽃도 좋아하는 나는 유난히 여름이 되면
수국에 빠지게 된다. 비가 내리는 한적한 제주에서 만
난 수국 군락지나 일본 신사 앞에 다소곳이 피어있는
수국을 보면 지금도 따뜻한 정종 혼술이 그리워진다.
그 풍성함과 단아함이 좋아 이따금 집에 한송이만 꽃
아두어도 흐뭇해지곤 한다.

 여름날 대청 마루에 앉아 처마 끝에서 떨어지는 빗소
리를 듣던 날, 뜰 한켠에 화사하게 피어있는 수국이 참
좋았던 기억이 난다. 빈자의 마음 한구석을 풍성하고
설레게 해주었던 그때의 기억을 내 캔버스 위에 그려
본다. 나의 삶에 함께해준 모든 이들에게 대한 감사와
이해의 마음을 더해.

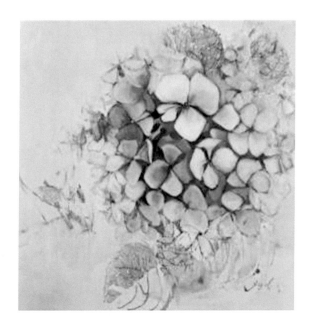

수국 _ Mixed media on canvas_30S(72.7x72.7cm)_2022

여름향기 _ Mixed media on canvas_10P(53.4x33.4cm)_2023

'꽃'은 오랫동안 우리네 관혼상제는 물론이고 개인의 생사고락을 기념하는 소재가 아니었나 하는 생각이 든다. 나는 보통 기쁠 때, 또는 기뻐지고 싶을 때 꽃을 찾곤 한다.

 델피늄은 내가 좋아하는 꽃들 중 하나다.
 어릴 때는 종종 들꽃을 꺾어 곁에 두었는데 도시로 나와보니 그마저도 돈으로 사야 맞이할 수 있는 특권이었다. 먹고 살기도 힘든데 꽃이 웬 말이냐고 했던 그 시절 나는 밥값을 모아 꽃을 사오곤 했다. 집에 꽃을 사오면 일주일 정도는 참 행복했다.

 그림을 그리기 시작하면서 꽃을 그리곤 했다. 영원히 지지 않는 꽃을 내방에 장식하고 싶어서였을까.

Bliss_Oil on canvas_20F(72.7x60.6cm)_2021

Grace_Oil on canvas_30S(72.7x72.7cm)_2021

계절에는 향기가 있다. 아침에 현관문을 열고 나가 숨을 깊게 들이마실 때 코에 훅하고 들어오는 바람의 향기에 살아 있음을 느낀다.

봄의 향기는 달콤한 과일향보다는 조금 덜 달지만 씹고 나면 입안에 감도는 달짝지근함이 감돌던 배추뿌리 맛 같다. 시골에서 유년기를 보낸 사람들끼리 알 법한 향수어린 향.

오늘은 온 들을 노랑으로 물들여주는 유채꽃을 그려보기로 했다. 말보다는 그림으로 표현하는게 내게는 조금 더 편하다.

어린 나이에는 묵직한 색깔을 좋아했지만 지금은 깜짝 놀랄만한 원색도 좋다. 젊음의 대한 동경이기도, 늙음에 대한 거부일지도 모른다. 동공이 커지고 아드레날린이 분비되고 마냥 신이 난다. 어쩌면 철없이 놀던 어린 시절이 천국이었는지도 모르겠다. 그 시절을 회상하며 너른 유채밭을 마음껏 달려보고 싶었다.

菜の花_Mixed media on canvas_2P(25.8x16cm)_2024

살다 보면,
칼처럼 날카로워지는 순간이 있더라.

마음을 가다듬어 보지만
성난 가시를 곤추세우며 으르렁거리는
그런 순간이 있더라.

자존심이 찔려
어쩔 수 없이 주저앉아야 하는 그런 순간이 있더라.

그런 '성냄'의 순간에 붓을 들었다. '내가 아직 여기
있다'고 외치고 싶었다. 아직 발끈이라도 해보고 싶은
의지의 발현이었다. 꼿꼿하게 그 순간을 지켜보겠노라
는 나의 의지..

꿈을 혜며_Oil on canvas_20P(72.7x53cm)_2023

A Moment of romance

마음속의 새싹도 자랄 것 같은 봄날이다.

쉰이 넘은 긴 여정에서도 이따금 삭막하게 느껴질 때가 있다. 그럴 때마다 나는 어김없이 캔버스 앞에 앉는다. 나의 새싹은 캔버스에서 피어난다.

이렇게 날 좋은 날이면 누구에게든 잠깐의 로맨스가 찾아와 주기를 바라며, 흐뭇하게 미소 지을 당신에게 나도 한발 다가가 본다.

기꺼이 그대의 봄날에도 마음속 로맨스에게 말 걸어보길 바란다.

안녕, 내 안의 로맨스!

여전히 Romance_Oil on canvas_20P(72.7x53cm)_2023

나를 가르치는 스승은 빛이 없으면 그림을 그리기 어렵다고 했다. 난 야경이 좋은데, 하며 기어코 스승을 거역하고 그린 작품이 바로 이 작품이다. 주위가 온통 까만 밤의 배경 속에 하얗게 핀 철쭉이 오히려 아름다웠다. 아마도 입문자이니 원리부터 알고가라는 스승님의 말씀이었겠지만 그때는 귀에 들어오지 않았다.

반백이 지난 나도 이런데 아직도 사춘기인 것 같은 대학생 딸아이는 오죽할까. 기어코 자기의 뜻대로 사는 딸 아이를 보노라면, 어김없이 내가 보인다. 이해하지 않으려 하고 타협하지 않으려고 하는 것 같지만 실은 그 자아가 개성을 만들어주고 생각하는 힘이 될지도 모른다는 생각이 든다.. 부모가 어떤 삶의 방향을 제시해주는 것이지 강요하면 안되는데 종종 나는 나의 실패를 분석해서 강요하곤 한다. 세상 시크한 척 하지만 속은 까맣게 탔다.

그림을 그리면서 타인를 이해하는 맘이 생기고 있다. 그림과 나는 늘 대치상황이지만 묘하게 정성을 쏟고 애정을 가지면 그림은 나에게 웃는다.

집중하고 노력하면 나아질 것도 같은데 절대 쉽게 곁

을 내어주지 않는다. 그러면서도 잠자리에서조차 여러
번 깨어 쳐다보게 만드는 묘한 끌림이 있다.
 그림을 사랑하는 이 마음으로 나도 그대도 사랑해야
지.

야화_Oil on canvas_12P(60.6x45.5cm)_2019

'화양연화'는 인생에서 가장 아름다운 시절을 말한다고 한다. 그 순간은, 저 양귀비처럼 가장 가냘프면서도 화사하고 선이 곱지 않았을까. 야리야리한 꽃잎이 바람에 파르르 떨 때는 뭔가 수줍은 소녀 같기도 하고 줄기에 난 뽀얀 솜털은 아직 때묻지 않은 청춘인 것도 같다. 바람이 불고 무리지어 군무라도 출 때는 유혹의 손길로 사람을 현혹하는 것도 같다. 어쩌면 우리도 그 시절 그랬을까.

빛바랜 앨범을 보다 보면 지금은 낯설은 해맑은 소녀가 거기에 있다. 나이가 지긋한데도 맑은 사람들을 맞닥뜨리게 되면 나는 잠시 호흡을 멈춘다. 혹시 내가 걸어가는 길이 맞는 건지 종종 뒤를 돌아보기도 한다.

있었는지 없었는지도 모를 만큼 바삐 보낸 '젊음'이지만, 누구에게나 있을법한 '화양연화'의 시절을 맞이하고자 부단히 노력하고 있다. '젊음'은 이미 보내버렸지만, 오래오래 곰삭아 깊은 맛을 내는 인생을 위해 오늘 하루도 정성스럽게 다듬어가고 있다. 저 양귀비처럼 고운 시절을 고대하며 지친 나에게 격려를 보낸다.

화양연화_Oil on canvas_20M(72.7x50cm)_2022

제3화 그림이 준 선물

 딱히 종교를 가진 것은 아니지만, 템플스테이 차 절에
다녀온 이후 이따금 작은 암자를 찾곤 한다. 사색하기
에 이만한 곳이 없다.

 어느 무더운 여름날, 법당 모서리에 기대 풍경소리를
듣다가 잠시 잠이 들었는데 참 좋은 꿈을 꾸었다. 돌아
가신 아버지를 만났다. 눈을 떠보니 머리 위로 연등이
가득 달려 있었다. 그 의미를 물으니 바람을 기원하는
것이라 했다. 문득 연등이 달고 싶어졌다. 그리운 아버
지를 위해.

 기분 좋은 낮잠 후 산책을 나섰는데 기와며 벽에 탱

화가 아닌 누군가 손수 그린 그림이 보였다. 스님이 직접 그리셨다고 하는데 강한 호기심이 들었다. 스님에게 질료를 묻다가 차 한잔을 얻어 마시고 법복을 입어보게 되었다. 옷이란 사람의 마음가짐에도 다른 옷을 입히는 것 같다. 지나온 시간 들이 무서운 속도로 밀려왔다. 거울에 비친 내 모습을 그리면서 나는 다짐했다. 이제는 좀 따뜻하게 살아보기로. 그 온도로 내 주위를 따뜻하게 데워 줄 수 사람이 되기로.

자화상 _ Oil on canvas_10F(53.0x45.5cm)_2018

Reset

삶에도 이따금 'Format'과 'Reset'이 필요한 때가 있는 것 같다. 그렇게 되기까지는 물론 삶의 여정이 순탄하지만은 않았을 것이다.

언젠가 읽은 책에서 "Doing by learning"하는 사람이 어찌 보면 가장 부족한 타입인지도 모른다는 글을 읽은 적이 있다. 나는 아마도 꼭 해봐야 아는 그런 타입인 것 같다. 다행히 이런 경험들이 축적되어 해보지 않아도 알 수 있을 것 같은 지혜가 조금씩 자라나는 것 같다. 물론 나는 아직도 '새싹'이지만.

열심히 살았다고 자부하지만 지극히 풀리지 않았던 지난 날은 다시 돌아가고 싶지 않다고 단호하게 말할 만큼 혹독했다. 그냥 열심히 하면 될 것 같았던 막연함과 두려움이 만들어낸 긴 루틴이었다.

그런데 '인생 총량의 법칙'이 있다하지 않는가. 하나의 열쇠가 풀리면서 그동안 잠겨 있던 문들이 연쇄적으로 열리기 시작한다. 동안의 설움과 노력이 주는 어마어마한 선물이다.

나에게 불쑥 찾아오는 고통들을 삶에 주는 변화의 찬스라 여겨야겠다. 긴 기다림과 끈기를 가지고.

이제 달려볼까? _ Oil on canvas_10F(53.0x45.5cm)_2018

이 나이가 되어도 몰랐다. 나 혼자 큰 줄 알았고, 부모의 모습으로도 완벽까지는 아니지만 최선을 다하고 있노라고 확신했다.

작업 중 문득 드라마 대사를 듣고 갑자기 작업을 멈추었다. 만취가 되어 들어온 딸자식이 엄마에게 이렇게 말한다. "나 좀 사랑해 주지 그랬어? 내가 이렇게 이 남자 저 남자한테 사랑을 구걸하지 않게. 왜 날 사랑해 주지 않았어?"라고.

'애정 결핍'이 가져오는 인간관계에서의 파장력이 놀랄 만큼 크다는 그 흔한 사실을, 이 나이가 되어서야 알게 된다.

나는 승진 욕구니 뭐니 늘 내 욕심으로 똘똘 뭉친 워킹맘으로 바빴다. 애를 낳은 순간부터 우리 아이는 아줌마나 기타 등등의 사람들 손에 컸고 나는 또 그 미안함에 귀가하기가 바쁘게 옷도 갈아입지 않은 채 아이가 잠들 때까지 아이 머리맡에서 책을 읽어주곤 했다. 그러면서도 육아와 일을 모두 완벽하게 하고 있노라고 자부했다. 아이가 커서도 빈틈없을 만큼 시간을 아껴 자기관리를 해왔다. 나름 나는 멋진 엄마라 스스로를 합리화했다.

　그런데 오늘 그 대사를 듣고 갑자기 생각이 많아졌다. 이미 대학생이 된 내 아이를 잘 모른다는 불안감이 몰려왔다. 모든 걸 다 해주려 했지만 정작 이 아이는 따뜻했을까. 내 아이니까 나처럼 강인할 거라 생각했고 엄마의 정이 고팠을 거라는 생각은 못해본 듯하다. 늘 사무적이었고 계획적인 성격에, 계획이 틀어지는 것을 싫어했다. 바쁜 삶의 영향으로, 시간은 무엇보다 소중했다. 그러는 사이 더 소중한 것을 잃어가고 있었던 건 아닐까.

　사랑은 받아본 사람만이 베풀 수 있다 했던가? 나는 내 아이에게 정작 사랑받고 사랑 주는 법을 가르쳐 주지 못했던 것 같다. 늦었지만 아주 작은 사랑부터 표현하려 한다. 어색하고 쉽지 않아 늘 가슴에만 담아두었던 마음을 용기내어 표현해본다.
　너는 내게 가장 소중한 사람이라고.
　내 아이가 살아가는 동안 엄마의 사랑을 기억하고 그 사랑을 또 누군가에게 베풀며 살아가기를 간절히 기도한다.

봄볕 _ Mixed media on canvas_3S(22.0x22.0cm)_2023

문득 돌아가신 시어머니가 자주 하시던 말씀이 떠오른다.

"사람은 죽을 때까지 배워야 해. 저 어린아이한테도 배울 게 있다니까"

일하는 며느리라고 살림은 늘 내 소관이 아니었지만 그래도 쉬는 날이면 뭔가 해보겠노라고 어깨너머로 배워둔 이런저런 꼼수를 부리면 시어머니는 그 서투름에도 늘 그렇게 칭찬해 주셨다.

그럼에도 그 시절엔 '시_World'에서 사는 건 그냥 불편하고 '화'로 점철된 일상이었던 것 같다. 시어머니가 돌아가신 이제와서야 '참 많이 배려해 주고 가르쳐 주셨구나'라는 생각이 든다. 뭐든 잃고 나서야 아는 미련함에 자책하기 일쑤다.

나의 하루는 무수한 아이들을 만나면서 시작된다.

처음에는 속된 말로 '머리에 피도 안 마른 녀석들'이 대들고 까불어대면 그 짜증을 이루다 말할 수 없었다. 그런데 이 나이가 되고 보니 인류의 다양성에 놀라고 그 가능성에 놀라곤 한다.

"어린아이한테도 배울 게 있다"는 말은 진리다. 하나

의 인격체들이 놀랍도록 까불어대는 모습은 팝콘이 튀는 모습과 다를 바 없다. 같은 화제를 주어도 이십여 년 다른 대답이 나오는 놀라운 진화 또한 새롭다.

아이들의 가능성과 생명력을 화폭에 담았다. 까만 밤에 잠자고 있는 원석 같은 '별'이라 생각했다. 그 다채로움이 언제 화면 밖을 나올지 모른다는 기대감과 그 아이들에게서 배우며 함께 해나가야 하는 의미를 담아보았다.

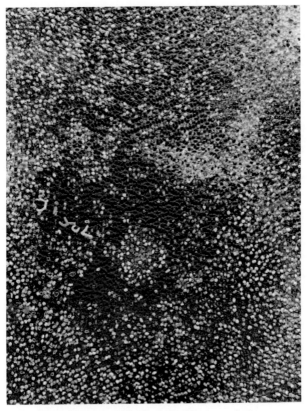

No∞_Mixed media on canvas_50F(116.8x91cm)_2024

Father

나에게 아빠는 늘 큰 산이었다.

어린 시절 저녁 식사를 마치면 학교 숙제가 아닌 또 하나의 숙제가 있었다. 아빠의 숙제 검사다. 지금 생각해 보면 아마도 학원이 없던 시골에서 한자를 가르치고 싶으셨던가 보다.

사설 한 토막을 신문에서 오려주시면, 하루 종일 옥편에서 찾아 한글로 또박또박 읽어내야만 했다. 학교에서 시간을 쪼개고 쪼개 겨우 읽고 나면 해는 벌써 저물고 친구들과 놀 수 있는 시간은 귀하고 귀했다. 숙제를 하고 여남은 시간을 온 열정을 다 바쳐 해가 떨어지기 전까지 놀았던 기억이 난다.

아빠랑 둘이 여행을 갈 때도 호주머니에는 항상 옥편을 넣어 가지고 다녔다. 여행지마다 생활 곳곳에 무슨 한자가 그리 많은지 그 미니 옥편이 닳고 닳았다. 지금 세상에야 툭 치면 바로 검색되는데 키도 작은 내가 그걸 들고 다니며 찾아봤던 습관 덕인지 나는 용케 한자가 익숙해졌다. 어쩌면 아빠 덕분에 펜대를 잡고 사는지도 모르겠다. 당신의 그렇게도 힘든 여정을 딸에게 물려주고 싶지 않다는 강한 의지였을지도 모른다. 그땐 그랬으니까.

명절이니 뭐니 여기저기 부산스럽지만 이럴 때면 더욱 아빠가 생각난다. 당신의 뜻대로 커준 내가 마당에 입성할라치면 맨발로 뛰어나오셨던 그분이 눈에 선하다. 없는 살림에 유난히 요구가 많았던 나를 키우느라 얼마나 삶이 힘들었을까. 잠들기 전 소주 대병을 마시고 이내 곧 잠드셨다.

 돌아가시고 나니, 내가 부모가 되어보니, 모든 게 다 울컥하니 떠오른다. 아빠의 뒷모습이 마치 큰 산처럼 보이고 고된 삶에 살이 부르터 험한 산이 된 듯한 느낌이었다. 부르튼 그 산에도 이제 평온한 겨울이 깃들기를 깊이 기도한다.

Father _ Mixed media on canvas_20P(72.7x53cm)_2023

입춘이 지나서일까 바람 타고 봄 내음이 느껴진다. '봄' 하면 나에겐 특별한 기억이 있다. 그래서 더욱 따뜻하게 느껴진다.

 결혼해 처음 살던 곳은 입시 학원이 즐비한 도시의 한복판이었다. 아이를 낳으면 어떻게 키우면 좋을까. 내 못다 한 욕망을 실현해볼까, 아냐아냐 가방끈 길어봤자 고생만 하더라 그냥 세상 행복한 아이로 키워볼까. 여러 상상을 하는 동안 세 번의 유산을 겪었고 이젠 포기해야겠다고 생각했다. 다 포기하고 있는데 하혈이 비치고 좀 이상해서 병원에 갔더니 아이란다. 그렇게까지 무계획한 내가 아닌데 당황스러웠다. 그렇게 가지려고 해도 늘 실패였는데 기쁘기도 하고 뭔가 묘한 느낌이었다. 그 당시 나는 한참 일에 집착하던 때라 심신이 지쳐 있었다. 응급실에 실려가기를 여러 번 산달이 가까웠는데 겨우겨우 버텨온 나에게 또 한 번의 비보가 전해졌다. 하혈이 심했고 의사가 말하기를 이대로라면 장애가 있을 수 있다고 했다. 당장 이민을 생각했다. 아이의 의지가 아니지만 남과 조금 다르게 불편한 모습으로 살아가야 한다면 최소한의 시스템과 환경을 마련해 주고 싶었다. 달을 다 채우지도 못하고 아이는 뱃속에서 나와야 했고 인큐베이터가 나의 자궁을 대신

해 주었다. 여러 고비를 넘기고 내가 할 수 있는 것은 그 앞에서 줄곧 울어주는 것뿐이었다. 다산을 한 우리 엄마가 살포시 다가와 내 손을 잡더니 다 제 몫을 가지고 태어나니 너무 염려하지 말고 이제부터 엄마가 되란다. 너무나도 다행스럽고 감사하게 아이는 장애가 없이 미숙아의 타이틀을 벗고 무럭무럭 자라주었다. 세상 행복한 아이로 키우겠노라고 노선을 변경하고 도시의 변두리로 생활터를 옮겼다. 봄이면 봄꽃을 사러 아이랑 양재 꽃 시장에 갔다. 데이지며 수선화, 프리뮬라, 팬지 등 트렁크 한가득 싣고 와서 뜰에 잔뜩 진열해두고 물조리개로 물을 주는 일이 세상 행복했다. 어느 주말 여느때처럼 봄햇살을 만끽하고 꽃옆에 앉아 쉬는데 '아 차가워' 깜짝 놀라 돌아보니 아이가 나에게 물을 주고 있다. '왜 그랬어?'하고 물으니 엄마가 다른 엄마보다 작아서 물을 주면 클 거니까 그리했다고 한다. 얼마나 기특하고 우습던지 내 딸 육아 어록에서 손꼽는 장면이다.

 아이들의 언어와 시선에는 늘 흉내 낼 수 없는 신선함과 창의력이 숨어있다. 예술가는 어쩌면 봄의 싱그러움 속에 아이같이 해맑은 영혼을 한 스푼 담고 그들의 시선에서 세상을 담아내는 고귀하고 엄숙한 직업일지도 모른다는 생각이 든다. 이왕이면 봄처럼 따뜻한 세

상을 캔버스에 담고 싶다. 그 그림을 보는 누군가도 미
소 짓기를 바란다.

또 다시 봄_아크릴 on pane 130F(90.9x72.7cm)_2024

<데칼코마니>

헬리콥터맘은 아닌데 어쩌다 보니 아이 뒷바라지가 길어진 워킹맘이 되어 있다. 다양한 자극을 주면 좋다기에 그 시절 다양한 경험을 만들어 주고자 노력했던 엄마로서 아직도 무엇이 정답인지 알 수가 없다.

잘 다니던 대학을 그만두고 다시 수험생이 된 딸아이를 싣고 여느 때처럼 집을 나선다. 그 나이면 알아서 해야지 싶다가도 이래저래 여건이 데려다줄 수밖에 없는 상황이다.

늘 에어팟으로 입과 귀를 차단한 녀석이 오늘은 툭 한마디를 던진다. "엄마, 세상이 꼭 데칼코마니같아." 모처럼 입을 연 아이에게 반가움 반, 어색함 반. "어째서?"하고 물으니, "거울에 비친 나도 그렇고, 내가 걸어온 대로 내 삶이 달라지는 것도 그렇고"
흠...여러 가지로 생각이 많아진다. 마냥 생각 없이 사는 줄 알았는데 너란 녀석도 철학이 있구나.

아이를 키우다 보면 자칫 부모 고집대로 이끌고 가는 경우가 많은 것 같다. 내 경우에도 나의 결핍을 채워 그 아이에게 보여주고자 한 세상이 어쩌면 수많은 선택지에서 답을 몰라 쩔쩔매게 했을지도 모른다는 죄책감이 들기도 한다. 적절한 결핍을 주었더라면 좀 더 일찍 그 수많은 자극들을 발판으로 삼아 스스로 찾아 나섰을지도 모르겠다.

부모가 되어보니 나 역시 아이를 통해 '나'를 본다. "자식은 부모의 등을 보고 자란다"하지 않았던가. 내가 찍어낸 나의 데칼코마니, 나와 나의 딸을 응원한다.

데칼코마니_Oil on canvas_10S(45.5x45.5cm)_2023

꽃비

 2016 피터슨 연구소 조사에 의하면 세계 10억 달러 부자 중, 금수저 출신으로 부자가 된 경우는 30%, 한국은 이 비율이 74%라고 한다.

 이런 동향 속에 나는 내 아이를 어떻게 키워야 하나 늘 망설이다 보면 어느새 또 그들은 저만치 앞선 듯 보인다. '그게 다가 아냐'라고 부정도 해보지만 마음 한구석엔 걱정 반 부러움 반이 사실이다. 늘 입으로는 공정과 공평을 부르짖지만 출발이 다른 걸 부인할 수 없다.

 이런 현실 속에서 나는 인성과 적성의 강조 외엔 달리 해줄 말이 없었다. 상위 5%(20%라 해두자)의 삶과 바닥 5%의 삶을 오가며 사실 달라진게 많다. 보이지 않던게 보이기 시작했고 내가 생각하는 육아의 기준도 많이 달라졌다. 현재로선 많은 걸 남겨주진 못할 것 같다. 다만 출발이 다른 것이 반드시 도착점까지 결정한다고는 말하고 싶지 않다. 너무나 다행스럽게도 행운도 있고 반전도 있더라고 말해주고 싶다. 그리고 무엇보다 간절함이 가져다준 성취감도 있더라고 말이다.

 이 그림은 미래를 준비하는 모두에게 꽃비가 내렸으면

하는 마음으로 그렸다. 인생에는 꼭 쓴 날만 있지 않더라. 삶을 즐기면서 진득하게 가보라고 말해주고 싶다.

꽃비_Mixed media on canvas_30F(90.9x72.7cm)_2024

제4화 인생의 四季

어릴 적 우리 집은 과수원을 했다. 새벽 동이 트기도 전에 일어나서 조부의 손을 잡고 산책을 하는 것이 하루의 시작이었다.

시골길을 걷다 보면 발목까지 차오르는 풀밭을 이슬을 밟으며 걷게 된다. 궁금한 게 얼마나 많았던지. 할아버지는 숱하게 쏟아지는 내 질문에도 싫은 기색 없이 막힘없이 대답해주셨다.

과수원 가는 길목에서 온갖 자연을 다 배운 듯하다. 특히나 너른 들판(논)의 색이 바뀔 때는 가히 장관이었다. 일시에 초록이었다 황금색이었다가를 반복하는 모습은 실로 웅장했다.

 그래서일까 나는 고흐의 <까마귀 나는 밀밭>이나
<사이프러스가 있는 밀밭>, 밀레의 <이삭줍기>, <낮
잠> 같은 작품들이 친숙했고 임화(臨畵)를 그리면서
그림을 배워나갔다. 동경에서 본 고흐의 <까마귀 나는
밀밭> 원작은 어린 내가 혼자서 외국 생활을 할 때,
위로받았던 실로 압도적인 작품이었다. 하마터면 그림
속으로 걸어 들어갈 뻔했던 기억이 난다.

 나는 자연이 좋다. 마음이 복잡할 때 그저 바라보는
것만으로도 마음이 정화된다. 그런 자연의 위대함과 감
사함을 생각하며 푸르던 시절을 화폭에 담았다. 늘 싱
그럽게 살아가고 싶은 기원을 담아본다.

우리는 I _Glitter, Oil on canvas_20M(72.7x50cm)_2019

그림을 그린 지 이제 십 년이 되어가지만 아직도 나는 그림과 싸운다. 눈만 높아졌다고 해야 할까. 이제 십 년도 안된 내 눈높이는 수십 년을 해온 작가들의 결과물에 맞춰져 있다. 자아가 생기기 시작했고 선생님과 다른 의견으로 그림을 그리기도, 다른 선생님을 만나 보기도 했다. 이런 일련의 방황 속에서 얻은 진리는 하나다. 기본을 알지 못하면 변화는 불가능하다는 것.

아크릴을 배운 건 1년 전부터다.

유화를 그리는 동안 나의 취향은 반구상이었다. 구상을 그려보려고 여러번 시도를 했지만 그 때마다 금세 싫증을 느끼고 딴짓을 하곤 했다. 그 비싼 캔버스에 마티에르를 준답시고 이것저것 시도했던 나의 모습이 제삼자가 보기엔 겉멋이 든 초짜 화가였을지도 모르겠다. 비구상을 배운다고 덤벼보았지만 쉽지 않았다. 그 후 찾은 곳이 아크릴반이다. 아크릴이 쉽지는 않았다. 다만 변화와 시도를 좋아하는 나에게는 충분히 매력적이었다. 게다가 성질 급한 나를 아는 것 마냥 빨리 마르기까지 하다니 최적의 '놀이'였다. 아크릴을 배우면서 마음이 많이 평화롭다. 때론 유치하고 부족해 보이지만 나는 진정 이 작업을 즐기고 있다.

비로소 봄 (Firework series) _ 아크릴 on panel_50P(116.8x80.3cm)_2024

엄마의 정원

아크릴화를 배운 뒤로 작업하는 공간이 한층 더 복잡해지기 시작했다. 사용하는 도구나 재료가 많아지고 다양한 시도에 따른 캔버스의 양도 만만치가 않다.

기법을 배우고 나면 머릿속에서는 생각을 잠시 멈추고 싶을 만큼 수많은 생각들이 차오른다. 물론 이런 생각들이 현실에서 멋지게 맞아떨어질 확률은 극히 적지만 나는 이런 실험 과정과 스릴이 좋다. 붓만으로 다 나타낼 수 없었던 나의 부족함을 여러 기법이나 재료들이 보완해주는 안도감도 있고 특히나 우연이 많이 발생하는 그 찰나가 늘 기다려진다.

<엄마의 정원>이라는 작품은 과감히 커튼을 뜯어 작업한 작품이다. 배보다 배꼽이 큰 양상이지만 완성해놓고 내심 흐뭇했다. 커튼 하나를 도려낸 무모함이 실패로 이어진다면 이 낭패를 어찌 감당할지 살짝 두려웠지만 충분한 실험 결과가 되어 주었다. 살짝 지나친 볼륨감도 좋고 재료의 배합이 가져다주는 갖가지 변화가 좀처럼 실력이 늘지 않는 나를 들뜨게 한다.

엄마는 다산의 여왕이었다. 아들을 낳기 위해 며느리들이 가위·바위·보를 해서 다섯을 낳았단다. 용케 집안에는 아들이 하나 생겼다. 가위·바위·보에서 진 덕에 우리 엄마는 많은 자식을 건사해야 했지만 딸이 많아 좋고 우애가 좋으니 무척 행복하다고 한다. 그런 엄마의 모습을 표현하고 싶었다. 엄마 품 안에서 마냥 행복했던 그 시절을 그리워하며 또다시 '추억'을 캔버스에 묶어둔다.

엄마의 정원 _ Mixed media on canvas_10P(53.0x40.9cm)_2023

놀거리가 귀했던 어린 시절 <종이 인형 옷 입히기>는 무엇과도 견줄 수 없는 최고의 놀잇감이었다. 프린트된 캐릭터와 옷가지를 선을 넘지 않고 정교하게 오리려면 엄청난 집중력을 요한다. 화가의 조건으로 일단은 궁둥이가 무거워야 한다던데 그때부터 제법 좋은 습관을 장착하게 되었는지도 모르겠다. 그 시절 나는 어쩜 그렇게 잘 오렸는지, 올백 맞은 친구보다 더 인기가 있었다. 안타깝게도 지면에 프린트된 옷들은 몇 벌이 되지 않았다. 안타까운 마음에 직접 여러 벌을 그려 입히고 대리만족을 했던 그때의 경험들이 어쩌면 지금의 내가 붓을 잡게끔 용기를 준 건 아닌지 싶다. 다른 친구들보다 더 많은 옷을 그리고 색칠해서 소장한 내 캐릭터의 위용은 대단했다. 그래서일까 나는 지금도 옷 사는 것을 좋아한다. 사지 말아야지 하면서도 한 번 보고 나면 잠이 오질 않는다. 쉰이 넘고 나니 조금 시들긴 했지만 사실 현실과 타협한거다.(haha)

꼭 입어보고 싶었는데 못 입어본 옷이 있었다. 중세시대 영국 황실 복장이라고 해야 할까. 풍성한 레이스나 몇 겹이 레이어드된 손이 많이 간 듯한 웅장한 옷들, 마치 만화 속에서나 봄직한 그런 드레스다. 해서 나는 오늘도 나의 캔버스에 캐릭터를 세우고 드레스를 입혀

본다. 새 옷을 입고 우쭐해 할 때 왜 없던 자신감도 생기는 뭐 그런 기분으로 좀 더 어깨를 펴보라고 말해주고 싶었다.

あるのままに
_Mixed media on canvas_20F(72.7x60.6cm)_2023

'공작'은 최고의 관직과 지위에 오르기를 소망하는 마음을 담는다고 한다. 그래서 중국 명·청 시대부터 조선 시대 문관의 흉배에 사용됐고 흔히들 길상의 상징으로 알고 있다.

공작을 볼 때마다 도도하면서도 권위적인 모습이 인상 깊다. 젊은 시절 한 번쯤은 그래보고 싶다는 동경의 마음도 강했던 것 같다.

그런데 건강을 잃고 나서는 사실 가치관이나 삶의 방향이 많이 전환됐다. 정작 중요한 것을 잃었을 때 주는 '깨달음'은 실로 놀랍다. 전력 질주했던 내가 잠시 멈춰 섰다. 많은 일들이 파노라마처럼 지나갔고 그 긴 삶의 구간이 그냥 하나로 정의되어 단락지어진 듯하다.

누구든 모두 가질 수 없다는 이 기가 막힌 균형의 공식을 이해하기까지 나는 참 고단했던 것 같다. 적당히 내려놓는 법을 다 알게 된다면 아마 백발의 할머니가 되어있지 않을까. 아직도 이따금 스멀스멀 올라오는 욕망의 유혹을 나는 멋지게 꾸미고 외출하는 것으로 대신하면 좋겠다고 생각했다. 구두도 높아지고 패션도 달라지면 뭔가 나는 또 다른 세상에 잠시 다녀온 기분이 든다. 뭔가 특별해지는 것도 같고 좋은 곳에도 데려다주고 이따금이기에 더 간절하고 감질난다. 이런 순간들이 많아지기를. 그 순간만큼은 특별하고 사랑받기를 바라는 마음으로 이 그림을 그렸다.

たまには、ね _ Mixed media on canvas_20F(72.7x60.6cm)_2023

나는 시간이 그냥 흘러가는 것을 참지 못한다. 무언가 꼭 의미를 부여했고 그래야만 한다고 생각했다. 그 흔한 커피숍 가서 수다 떠는 일조차 나에게는 아까운 시간으로 치부되기 일쑤였다. 혼자 하는 일이 마음 편하고 진척이 있었다. 그러다 보니 혼자 있는 시간이 많아졌다.

그러다가 우연히 골프를 접하게 되었다. 집안에 골프 선수가 있었지만 그다지 끌리지 않았는데 일본에서 돌아오니 지인들이 모두 골프에 홀릭 상태였다. 여러모로 배우기에는 유리한 상황인지라 덜컥 덤벼들었고 생각보다 재능이 있는 것 같았다. 그런데 어떻게 된 일인지, 하면 할수록 어렵고 되지 않는게 골프더라. 나는 매일 이 녀석과 사투를 벌인다. 할 수 있을 것 같지만 다시 제자리고 다시 제자리 같지만 또 나아지는 묘한 줄다리기가 수년째 이어지고 있다. 하지만 절대 결코 손을 놓을 수 없는 매력이 있다. 18홀을 돌며 자신과의 팽팽한 싸움을 견뎌내야 하고 주위 멤버들의 마음을 헤아려야 하는 스포츠다.

수많은 호기심에 발을 담궈본 취미만 몇 개인지 알 수 없지만 이제 내게 남은 취미는 그림과 골프이다. 이 두 가지의 접점을 찾아본다면 묘하게 닮은 구석이 있다. 절대 욕심을 내어서도 안되고 즐기지 않으면 오래

할 수 없다. 그림은 오롯이 혼자 있는 시간의 나 자신을 들여다보게 하고 골프는 여럿 가운데 있는 나 자신을 알게 해준다. 나의 친구이자 연인 같은 취미를 끝까지 함께하고 싶다.

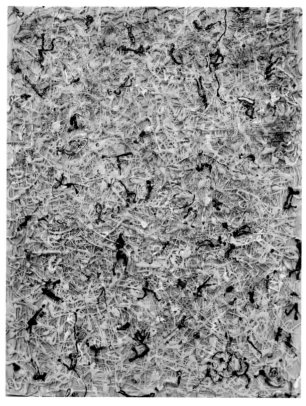

HOLIC _ Mixed media on canvas_4P(33.4x21.2cm)_2023

제 5 화 새로운 작업

　새로운 작업의 테마는 '불꽃놀이'다. 나는 불꽃놀이에
서 '팽창'과 '벅참' '분출' '절정' '카타르시스'등의 감
정이 떠오른다. 뭐든 차올라야 그 힘을 알 수 있고 비
로소 그것들이 터져야 그 속에서 희열을 느끼고 또 살
아가는 것 같다. 때로는 불발도 있고 때로는 찬란하게
자신조차 알지 못했던 멋진 폭발을 보여주는 '불꽃놀
이'처럼.

　나는 요즘 멋진 폭발을 기대하며 한껏 몸을 부풀리
고 있는 중이다. 찬란한 순간이 '찰나'여도 좋다. 동안

의 팽창과정을 한순간에 보상받는 바로 그 폭발의 순
간 속에 감춰진 기쁨이 분명 기다리고 있을 것이다.

 인생은 순간이 모여 기나긴 여정이 되는 것이 아니던
가. 이 고단한 세상에 모두가 불꽃으로 터져 오르기를,
그리고 부디 아름다웠다고 기억되기를 소망한다.

joy rush _ Mixed media on canvas_50S(91.0x91.0cm)_2024

중년이 되면 받아들여야 할 게 더 많아지는 것 같다.

더딘 것도,

무뎌지는 것도.

젊음이 꼭 되돌아가고 싶은 시공간은 아니지만, 이따금 그때만의 싱그러움과 풋풋함이 그립기도 하다.

불꽃놀이를 모티브로 한 나의 그림은 '현실'과 '회상 속 자아'가 만나는 블랙홀이다. 누구나 가슴속 추억하나 간직하고 있으리라.

Remember_Oil on canvas_30F(90.0x72.7cm)_2020

봄날이 곁에서 느껴진다. 움튼 새싹이 그렇고 깊게 들이마신 바람이 따뜻한걸보니 더욱 그렇다.

인생에도 사계가 있는 듯하다. 내게는 지금이 봄날이다. 치열했던 청춘을 보내고, 결혼을 하고 나니 또다시 치열했다. 아이가 자라는 동안 치열했고, 직장인으로서의 욕심이 또 나를 치열하게 만들었다.

치열한 순간을 멈추게 한 건 건강상의 이유가 컸다. 몸이 더 이상 버티지 못했던 것이다. 다행히 다시 평온을 되찾았지만 아주 길고 깜깜한 터널을 지나온 것 같다. 생각에 여유가 깃드니 자연스레 행동에도 여유가 생긴다. 굳이 서두르지 않게 되고 기다리는 입장이 되어간다. 지난날의 열정과 노력이 때맞춰 우아하게 터져 오르기를 기원하며 '불꽃놀이'의 일환으로 '카타르시스'라는 작품을 완성했다.

Catharsis _ Mixed media on canvas_50S(91x91cm)_2023

<11:05 그녀의 밤>

누구에게나 추억은 있다.

<11:05>은 상징적인 시간이다. 그녀의 밤은 아마도 꼭 기억될 일이 있었을 것이고.

<그녀의 밤>은 그녀의 인생에서 폭죽이 터질 만큼 아름다운 시공간에 대한 은유이다. 마음속에 응축된 긴 기다림 속에 이상이 현실로 나타났을 때, 그때의 감정 상태를 나타낸 그림이다. 아마도 저 다채로운 불빛만큼이나 환상적이고 환희에 가득찼을 그녀의 밤을 오래도록 함께 기억하고 싶었다.

11시 05분 그녀의 밤 _ Mixed media on canvas_30F(90.9x72.7cm)_2024

‘고독’과 ‘우울함’의 차이는 “홀로 있되 외롭지 않은 것이다”라고 하더라.

돌이켜보니 다행스럽게도 나는 ‘고독’의 시간을 더 많이 가진 듯하다. 시간을 아끼고 아껴 잉여시간을 만드는 것이 어느새 나의 습관이 되었다. 그 시간에는 어김없이 고독해지고 사색의 시간을 갖는다. 그냥 볕만 쬐어도 좋고, 오가는 풍경을 바라만 봐도 좋고, 창의력을 쥐어짜는 고통의 시간이어도 좋다.

이런 잉여시간이 나에게 ‘여유’와 ‘취미’를 주었다. 어쩌다 보니 오랫동안 놓지 못했던 취미들이 나의 갑옷이 되어 주고 있다. 딱히 잘하는 건 없지만 건강만 허락된다면 심심치 않은 노년을 보낼 것 같다.

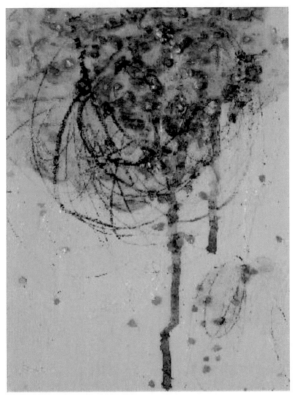

さくら _ Mixed media on canvas_1P(22.7x14cm)_2023

이따금 왜 그렇게들 치열하게 살아가는걸까...하고 의문이 들었다. 자신도 모르게 학습된 걸까? 아니면 그리하지 않았을 때 부정적인 결과가 많았던 걸까?

답 모를 시간들이 쌓여 요즘 드는 생각은, 그리해봐서 놓을 줄도 알게 되었고, 거둘 것들도 많다는 것이다.

인내했던 시간들이 내게 큰 선물을 주는 요즘이다. 감사하는 마음으로 오늘도 나는 치열한 하루를 마무리한다.

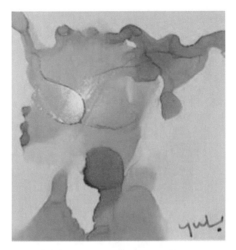

자화상Ⅱ_Ink on panel_(10x10cm)_2024

아직도 늘 메모하는 습관이 있긴 하지만, 나에게 정작 글을 쓴다는 것은 참으로 부끄러운 일이다. 혼자 보는 일기라면 모를까 남에게 보여준다 생각하면 차마 용기가 나질 않는다. 어쩌면 영원히 발가벗을 수 있는 용기가 있는 자만이 글을 쓰는게 아닐까 싶다. 오늘은 벌거벗은 작자 자신에게 종이 가면이라도 씌워주고 싶다.

그에 비하면 그림은 조금 덜하다. 비록 서툰 표현이지만, 뭔가 뭉뚱그리고 둘러댈 수 있을 것만 같은 여지가 있다. 그 어디쯤에 무엇이 있노라고 적당히 면을 그려 놓으면 때로는 그것일 거라고 생각해 주는 여지 말이다. 그런 이유에서 나는 그림이 참 좋다.

모닝글로리_Oil on canvas_12P(60.6x50cm)_2021

바람이 머문 자리

_Mixed media on canvas_3P(27.3x19cm)_2024

작가의 말

어김없이 계절이 바뀐다.

길게 놓고 보면 끊임없는 반복인데 그 안에서 오밀조밀 온갖 이야기가 다 만들어지는게 인생인가보다. 어쩌면 결국 처음과 끝이 같은데 서로들 아니라고 우겨대는건 아닐까.

그림이 이와 같다. 결국 유한성에 대응하는 태도와 가치가 다르게 표현될 뿐 우린 모두 같은 이야기를 하고 있는지 모르겠다.

어릴 적부터 그림을 좋아했다. 그 시절 간절히 하고 싶었지만 하지 못했던 작은 꿈을 이제서야 펼치고 있다.

분노의 온도를 높이고 날을 세우며 지금의 자리까지 오는데 많은 상처와 아픔의 상흔이 뚜렷하다. 마음이 소란스럽거나 우울해도 살아내야만 했던 긴 여정 속에서 무언가라도 부여잡고 와야만 했던 '오늘', 내 삶의 여백을 묵묵히 채워준 그림은 나에겐 큰 '위로'이자, '선물'이었다.

 그림을 그리면서, 스스로의 마음을 들여다볼 수 있었고, 달리지만 않고 기다리는 법을 알게 되었다.

 지극히 개인적인 나의 꿈, 그림 이야기를 조심스레 글로 써 보고 있자니, 쓰는 내내 나의 마음을 내보인다는 것이 낯설고 부끄럽기 그지없었다. 그러면서도 스스로에게는 지난 시간을 정리하고 삶의 방향을 재정비하는 시간이 되었다.

나의 일련의 작업들이 누군가로부터 조금이나마 이해받을 수 있다면 충분히 의미있는 일이었다고 생각한다. 덤으로, 이제야 자신을 마주할 수 있는 용기가 생기는 것 같다.

生きている_Oil on canvas_20P(72.7x53cm)_2023